D1192971

Lodovica Cima

ILLUSTRAZIONI DI
Chiara Fiorentino

Le sei storie scacciapaura

GRIBAUDO

Sommario

L'elefantino che aveva paura del buio

«Non senti l'odore del buio?» chiede Titti a suo fratello Teo.
«No, che odore è?» risponde Teo.
«Di terra bagnata e anche un po' di calzini sporchi. Non mi piace.
E il rumore del buio, non lo senti?
Qui sotto il letto, gratta e gratta e aspetta di venire fuori...» continua Titti.
«Ma no! Io non sento nessun rumore» dice Teo.

fiabe

«Adesso lo vedi? È lì vicino alla porta,
è grande, tutto nero e cerca proprio noi.
Accendi la luce, ti prego!»

Teo scende dal letto e va verso la porta.
«Mammaaa! Titti non dorme perché
ha paura del buio.»

Nessuno risponde.
«Aiuto! Teo, Aiuto! Il buio sta per prendermi...»
Titti si nasconde sotto le coperte,
ma il buio è entrato anche lì.
Il buio è dappertutto.
«Mamma, mamma!»

Finalmente la mamma arriva
e si siede sul letto di Titti:
«Dov’è questo buio? Me lo fate conoscere?»
«È proprio lì» dice subito Titti.
«Puzza e gratta e ci vuole prendere
tutti e due!»

«Oh, buonasera signor Buio, tanto piacere.
Mi dica, che fa da queste parti?»
chiede la mamma con voce gentile.
Teo e Titti sono tutt'orecchi.
Silenzio. E un *cric cric* sotto il letto.

«Ah, che bello, signor Buio. Mi sembra
un programma perfetto per stanotte!»
«Che cosa ti ha detto, mamma?»
chiede Titti impaziente.
«Ha detto che viene a portarvi sogni di sole,
di tuffi, di pizza e di festa... meglio di così!
Lasciatelo lavorare. I sogni arriveranno presto
se chiudete gli occhi e state ad ascoltare.»

«Sì, ma tu lascia la porta aperta,
almeno un pochino. Così quando il signor Buio
ha finito può andarsene.»

La mamma se ne va e il signor Buio
distribuisce i suoi sogni.
Titti e Teo sognano felici e non importa
se c'è un po' di puzza di terra bagnata
e di calzini sporchi!

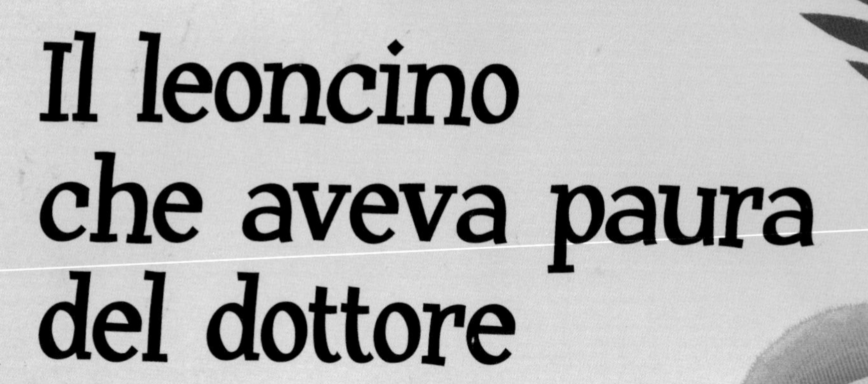

Il leoncino che aveva paura del dottore

Oggi Leo deve andare
dal dottore.
«Non voglio! Io non ci vengo!»
ruggisce arrabbiato.
Ma la mamma è irremovibile:
«Dai, mettiti la giacca, dobbiamo uscire».

Per strada Leo ha il muso lungo.
La mamma lo tiene per mano:
«Non aver paura, vedrai: sarà una cosa veloce!»
«Ma io non voglio fare la puntura!».

La sala d'attesa del dottore è piena di cuccioli.
La ranocchia legge un libro,
Il pulcino osserva un grande disegno.
Una piccola piovra gioca alle costruzioni.
Leo si siede in un angolo.

Poi arriva l'amico Paolino con la mamma e la sorellina.
«Ciao, Leo, anche tu devi fare la puntura?»
«No, per fortuna! Accompagno solo mia sorella,
che ha una fifa...»
«Ma io non ho paura!» mente Leo.
«Io sono un leone!»

La porta si apre e appare il dottore.
Sembra un orco sorridente:
«Sotto a chi tocca» dice forte.
La mamma prende Leo per mano
e lo spinge verso la porta.
Leo ora si trova proprio davanti all'orco!

«Buongiorno Leo!» lo saluta il dottore con voce allegra.
«Come stai?»
«Sto benissimo, non ho bisogno della puntura»
si difende Leo.
«Lo so, ma siediti qui un momento, voglio mostrarti
una cosa. Guarda, è un acchiappasorrisi.»
Il dottore si sposta alle sue spalle, Leo non sa
se fidarsi, ma l'acchiappasorrisi è così colorato...
e si muove!
«Bello» sussurra incantato. Non ha mai visto
nulla di simile.
«Ho finito. Puoi andare!» dice il dottore.

Leo non ci crede: «Ma come? Non ho sentito niente!».
«Sì, lo so, sei proprio un cucciolo coraggioso!»
Il dottore ora non sembra più un orco
e Leo sorride contento.
«Ecco, il tuo sorriso è arrivato al momento giusto.
Il mio acchiappasorrisi funziona sempre!»

Il coccodrillo che aveva paura dei mostri

Cocco gioca ai giardinetti con gli amici.
Oggi ci sono proprio tutti:
Lillo, Teo, Bruno, Leo, Giò, Pietro e Lara.
Quando si è così tanti è bellissimo
giocare a pallone.

Cocco tira la palla a Teo e lui, come al solito,
le dà un calcio fortissimo.
La palla finisce lontano e sparisce dentro il boschetto.
«E ora chi va a prenderla?» chiede Lillo.
«Teo, è lui che ha tirato» risponde Cocco.
«Nel bosco ci sono i mostri, io non ci vado!»
protesta Teo e si siede per terra, irremovibile.

«Chi lo dice che ci sono i mostri?» chiede Cocco.
«Mio fratello grande. Dice che hanno le unghie nere e i denti aguzzi!»
«Allora nemmeno io vado a prendere la palla!» dichiara Cocco.
«Nemmeno io!»
«Nemmeno io!»
Nessuno vuole andare.

Ma Lara ha un'idea: «Facciamo una conta!».
Gli amici si mettono in cerchio e Lara comincia:
«A Bi Bò a chi tocca non lo so, ma ben presto
lo saprò: A Bi Bò.»
Cocco. Tocca a lui!
Non può più tirarsi indietro, deve farsi coraggio....

S’avvia lentamente verso il boschetto con le gambe che gli tremano un po’ e ogni tanto guarda indietro per vedere se qualche amico per caso non lo vuole accompagnare...
Di sicuro il mostro lo sta aspettando dietro un albero, con la loro palla in mano.
Nel boschetto, però, non vede nessuno.
E se fosse laggiù, dentro quel cespuglio spinoso?
Cocco si avvicina e sta per spostare i rami quando sente un rumore... *frrrrr frrrrr frrrrr!*

«E tu chi sei?» chiede. «Sono Picchi. Cercavi questa?»
un piccolo procione gli porge la palla.
«Sì» è tutto quello che riesce a dire Cocco, sorpreso.
«Devi stare più attento quando giochi,
se la tiri nelle spine potrebbe bucarsi...»
«Grazie, sei molto gentile» risponde Cocco
prendendo la palla.

Gli amici lo stanno aspettando.
«Allora, Cocco, com'era là dentro?
Hai visto il mostro?» chiedono curiosi.
«Ho ritrovato la palla e ho visto...»
«Il mostro?» chiedono gli altri in coro.
«Ora lo vedrete... Ehi, amico! Vieni a giocare con noi?»
Frrr frrr frrr! E dal boschetto esce di corsa Picchi:
«Io un mostro? Forse sono un mostro di bravura quando gioco a pallone!».

La lupetta che aveva paura di essere mangiata

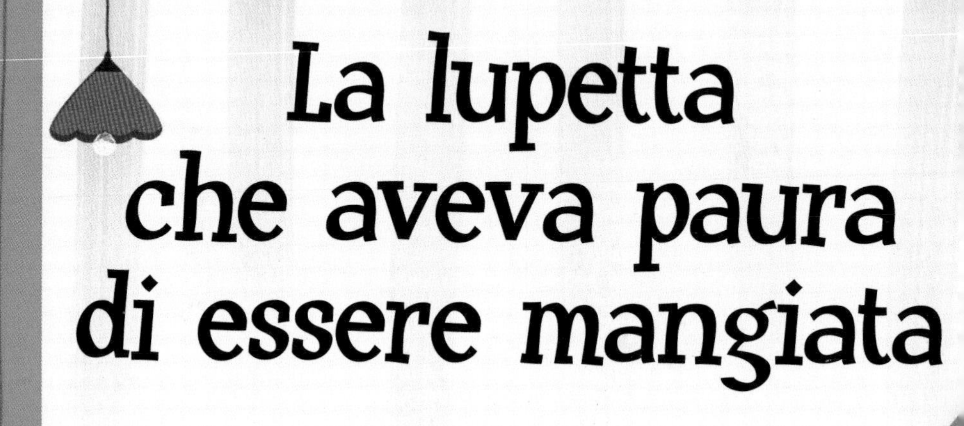

«Papà, aiutami, dobbiamo scovare l'orco mangiacuccioli» chiede Lara al papà guardando sotto il letto. «Qui non c'è nessun orco» dice sorridendo il papà. «Ma forse si è nascosto qui!» dice lei spuntando dal cestone dei giocattoli. Intanto il piccolo Lù dorme nella culla.

«Il mio amico Sam ha detto che l'orco sente l'odore dei cuccioli e arriva quando tutti dormono!»
«Basta, Lara, l'orco mangiacuccioli non esiste, sono tutte storie! Ora cerca di dormire.»
Ma Lara non dorme, anzi, ha un'idea!

Rovescia il cestone dei giochi proprio
davanti alla porta.
«Così quando l'orco arriva fa rumore, io lo sento
e ho tutto il tempo per mettermi al riparo con Lù.»
Per sicurezza Lara va a nanna
con la sua pecora soffice.

In mezzo alla notte Lara sente un rumore: *cik cik cik.*
Di sicuro sono le mascelle dell'orco che masticano un cucciolo!
Controlla la porta e i giocattoli, ma è tutto come lo ha lasciato la sera prima... Nessuno è entrato nella sua stanza.
"Forse era solo un sogno" pensa la lupetta e si riaddormenta.

La sera seguente Lara ha una nuova idea:
«Lascio i miei biscotti all'orco.
A me piacciono tanto, piaceranno anche a lui
e si dimenticherà dei cuccioli».
Il piattino dei biscotti è vicino alla porta
e Lara va a nanna con la sua pecora soffice.
Lù dorme tranquillo nella culla.

latte

In mezzo alla notte Lara sente ancora *cik cik cik*.
Questa volta è sicura: l'orco ha trovato
i suoi biscotti e se li sta gustando contento.
Ma la mattina seguente i biscotti sono ancora lì:
nessuno li ha toccati!

La notte seguente Lara sente ancora *cik cik cik*...
«Papà, mamma!» chiama, piena di paura.
«Sento il rumore dell'orco mangiacuccioli!»
Papà e mamma arrivano subito e accendono la luce.
Poi sorridono.
«Guarda il tuo fratellino Lù e ascolta con attenzione.»
Lara si affaccia alla culla di Lù e sente *cik cik cik.*
Lù dorme beato con il suo ciuccio rumoroso:
cik cik cik!!!!

L'orsetto che aveva paura di perdersi

A Bruno piace tantissimo andare al supermercato con la mamma.
«Che cosa dobbiamo comprare?
Ti aiuto io!»
I corridoi sono pieni di oggetti colorati e il carrello è un bolide per viaggiare come un esploratore.

63

«Mi raccomando, Bruno, stammi vicino.
La lista della spesa è lunga come una sciarpa d’inverno. Ci metteremo un bel po’» dice la mamma dirigendosi verso il banco della frutta.
Ma Bruno non la segue, perché è attirato dalla corsia dei biscotti!

«Permesso, mi fai passare?» gli chiede una signora molto ingombrante. «Che ci fai qui da solo?»
«Aiuto la mamma!» risponde Bruno con orgoglio.

Bruno ha preso i biscotti, i cereali e un vasetto
di miele: quasi non riesce a tenere tutto in mano.
«Ce la fai, piccolo?» chiede un signore lungo lungo
con un camice blu.
«Ora li metto nel carrello» risponde l'orsetto,
e torna sui suoi passi per cercare la mamma.
Ma non trova più né lei, né il carrello...

3 x 2

«Mamma, mamma!» chiama, con la voce
che comincia a tremargli. «Ops!» Bruno è andato
a sbattere contro il carrello della signora
ingombrante, la spesa gli è caduta
di mano e il vasetto di miele si è rotto.
«Piccolo birbante! Guarda che pasticcio
hai combinato!» lo rimprovera lei.
«Voglio la mia mamma...» Bruno scoppia a piangere
e scappa via.

I corridoi colorati ora sono come fiumi in piena
che portano non si sa dove...
Poi, da un mucchio di scatole di tonno,
spunta il signore con il camice blu.
«Ehi, ometto, perché piangi?» gli chiede
accovacciandosi per parlargli.
«Cerco la mia mamma» singhiozza Bruno
tirando su con il naso.
Il signore sorride e lo prende per mano.

«Eccoti qua, dove ti eri cacciato?
Ti avevo detto di non allontanarti!» dice la mamma.
«Ma io volevo solo aiutarti!»
«Lo so, cucciolo mio, la prossima volta, però, stammi vicino. Ora aiutami a guidare questo carrello per arrivare alle casse. Là in fondo, vedi?
Dove ci aspetta quel signore in camice blu!»
Pronti... partenza... via!

Il pinguino che aveva paura dell'acqua alta

Pietro il pinguino è in piscina
per la lezione di tuffi.
L'istruttore ha messo tutti
i cuccioli in fila.
«Io non ho voglia di tuffarmi»
brontola il pinguino.

«Non avrai paura di un po' d'acqua!» lo prende in giro l'amico Edi, e si tuffa spavaldo.
«Io ho un po' paura» sussurra Nina, in fila dietro Pietro. «Hai visto com'è profonda?»
«Sì, non si tocca!» risponde il pinguino, molto preoccupato.

È il turno di Pietro, ma lui guarda l'acqua ed esita.
Allora il maestro gli si avvicina: «La prima volta
ci tufferemo insieme,» gli propone
«così non potrà succederti niente!»
e gli offre la mano.

«Pronto? Uno, due, tre, salta!»
Pietro e l'istruttore si tuffano e... SPLASH!
Gli spruzzi arrivano dappertutto,
anche in faccia agli altri pinguini.
Mentre scende sott'acqua Pietro
tiene gli occhi aperti e vede mille bolle
che salgono in superficie.
Quando tocca il fondo della piscina inizia
a preoccuparsi: e ora come faranno a risalire?

Ma tenere per mano l'istruttore lo rassicura,
e poi sente che il corpo risale naturalmente
verso la superficie, come un palloncino.
Ecco l'aria, Pietro può di nuovo respirare.
«Ehi, campione, tutto bene?» chiede l'orso
mentre lo regge nell'acqua profonda.
«Non so, non si tocca. Non voglio
nuotare dove non si tocca!»

«Ma ci sono io con te. Nuota, ti sto vicino.»
Pietro si muove come ha imparato...
Il bordo della piscina è sempre più vicino.
Nina batte le mani: «Bravo, Pietro!».

Pietro esce dall'acqua molto fiero di sé.
«Nina, se hai paura possiamo tuffarci insieme, tenendoci per mano!» propone all'amica.
«E se poi non riusciamo a nuotare fino al bordo?» chiede Nina preoccupata.
«Ci sono io che vi aspetto in acqua» dice l'orso istruttore. «Siete pronti?»
Uno, due, tre... SPLASH!

Le sei storie scacciapaura

Testi: Lodovica Cima
Illustrazioni: Chiara Fiorentino

Redazione GRIBAUDO
Via Garofoli, 262
37057 San Giovanni Lupatoto (VR)
redazione@gribaudo.it

Responsabile editoriale: Franco Busti
Responsabile di redazione: Laura Rapelli
Responsabile grafico: Meri Salvadori
Fotolito e prestampa: Federico Cavallon, Fabio Compri
Segreteria di redazione: Daniela Albertini

Stampa e confezione: Grafiche Busti srl, Colognola ai Colli (VR),
azienda certificata FSC®-COC con codice CQ-COC-000104

Socio Unico Giangiacomo Feltrinelli Editore srl
Via Andegari, 6 - 20121 Milano
info@gribaudo.it
www.feltrinellieditore.it/gribaudo/

Prima edizione 2016 [1(C)] 978-88-580-1453-0

razzismobruttastoria.net